Soy
Cleopatra

Grace Norwich

Ilustrado por
Elisabeth Alba

SCHOLASTIC INC.

Originally published in English as *I Am Cleopatra*

Translated by Eida de la Vega

PHOTO CREDITS

Photographs © 2014: Courtesy of Barnes & Noble: 25; Getty Images: 1 main, 20 (DEA Picture Library), 78 (Werner Forman/Universal Images Group); Shutterstock, Inc.: 10 (Jose Ignacio Soto), 108 (josefbosak), papyrus background throughout (Nancy Nehring), 48 top (Perytskyy), 19 (Photoservice); Shutterstock, Inc.: 28 bottom (Africa Studio), 29 (Elzbieta Sekowska), 58 center (FooTToo), 16 (Frontpage), 48 bottom (GTS Production), 34 (jsp), 39 (Marina Plug), 28 center (Nattika), 50, 58 bottom (pseudolongino), 30 (S. Borisov), 28 top (Tamara Kulikova); Shutterstock, Inc.: 70 (FooTToo), The Granger Collection/DEA Picture Library: 73; Thinkstock: 48 center (Hemera), 40, 58 top, 82, 104 (iStockphoto).

ISBN 978-0-545-76089-8

12 11 10 9 8 7 6 5 4 3 2   15 16 17 18 19/0

Printed in the U.S.A.   40

First Spanish printing, September 2014

Cover illustration by Mark Fredrickson
Interior illustrations by Elisabeth Alba
Book design by Kay Petronio

CONTENIDO

INTRODUCCIÓN

Ha habido muchas mujeres poderosas en la historia, incluyendo reinas y emperatrices, presidentas y primeras ministras. Cada una ha alcanzado la grandeza a su manera, y les doy la bienvenida en la hermandad de las mujeres dirigentes. Pero, ¿ha habido alguna más poderosa que yo? No lo creo. Después de todo, las décadas en las que reiné transcurrieron en una época de enorme violencia y desorden.

Se le ha dado más importancia a mi belleza que a mis muchos logros. Aunque es verdad que tenía una atractiva cara ovalada, pelo oscuro y piel del color de la miel, no fue solo por eso que tuve éxito. Mi encanto, mi carisma y mi ingenio influyeron, tanto o más que mi belleza, en mi ascenso al poder. Fui uno de los gobernantes más inteligentes de Egipto, con olfato para saber lo que el pueblo quería, incluso antes de que el mismo pueblo lo supiera.

Algunos piensan que yo era una manipuladora. A ellos les digo: "En el amor y en la guerra, todo vale". No lo sabré yo, que participé en innumerables batallas y tuve incontables romances durante mis treinta y nueve años de vida.

Incluso me aseguré de morir como yo quería, sin permitir que otros me quitaran la vida. Y, como estás a punto de leer, la historia me ha juzgado favorablemente, llamándome una de las figuras —contando hombres y mujeres— más dinámicas que el mundo ha conocido.

Soy Cleopatra.

GENTE QUE CONOCERÁS

CLEOPATRA:
La última faraona del antiguo Egipto, quien gobernó por diecinueve años.

....

Alejandro Magno: Uno de los guerreros más poderosos de todos los tiempos, creó uno de los **imperios** más grandes del mundo antiguo.

Ptolomeo I: Un general del ejército de Alejandro Magno, al que le entregaron el gobierno de Egipto como recompensa por sus servicios y lealtad.

Ptolomeo XII: Padre de Cleopatra, de quien ella heredó el trono.

Berenice IV: Hermana mayor de Cleopatra, ejecutada por su padre después de intentar tomar el control de Egipto.

Ptolomeo XIII: Hermano menor de Cleopatra, con quien compartió el trono; un desacuerdo entre ellos resultó en guerra y la muerte de Ptolomeo.

Arsínoe: Hermana menor de Cleopatra y una de sus rivales por el poder.

Julio César: General y estadista romano que fue asesinado por su propia gente. Estuvo involucrado sentimentalmente con Cleopatra.

Marco Antonio: General y político romano, conocido por su valentía y ambición, así como por su relación con Cleopatra.

Octavio: Sobrino nieto e hijo adoptivo de César; tomó el poder del Imperio Romano después del asesinato de César y contribuyó a la muerte de Cleopatra.

CRONOLOGÍA

323 ANE
Muere Alejandro Magno y su imperio se divide en tres. El antiguo Egipto queda en manos de su fiel consejero Ptolomeo I.

69 ANE
Nace Cleopatra, hija de Ptolomeo XII, un descendiente de Ptolomeo I, y de una mujer desconocida.

51 ANE
Cuando muere su padre, Cleopatra y su hermano menor, Ptolomeo XIII, toman el trono.

49 ANE
Ptolomeo XIII y sus consejeros envían a Cleopatra al exilio. Ella organiza un ejército y marcha a Alejandría para reconquistar el trono.

47 ANE
Después de ganar la Guerra de Alejandría, Julio César corona a Cleopatra faraona de Egipto.

46 ANE
Cleopatra viaja a Roma con su hijo y su hermano Ptolomeo XIV.

15 DE MARZO DE 44 ANE
César es asesinado en la escalera del Senado Romano.

41 ANE
Cleopatra y Marco Antonio empiezan su legendario romance, marcado por el lujo y la aventura.

40 ANE
Cleopatra da a luz gemelos: Alejandro Helios y Cleopatra Selene.

1 DE AGOSTO DE 30 ANE
Marco Antonio se quita la vida con una espada.

12 DE AGOSTO DE 30 ANE
Cleopatra se quita la vida, bebiendo un veneno mortal.

¿QUÉ QUIERE DECIR ANE?

ANE quiere decir "antes de nuestra era". Mide el tiempo antes de que empezáramos a usar el calendario actual. Las fechas ANE son como una cuenta regresiva, van para atrás. Los números más grandes corresponden a las fechas más antiguas, y los más pequeños a las más cercanas al presente.

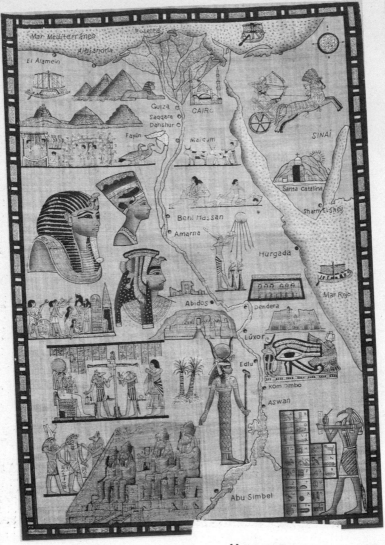

Mapa de Egipto

CAPÍTULO UNO

RETRATO DEL MUNDO ANTIGUO

Para apreciar la vida de Cleopatra, es importante comprender primero el mundo en el que vivió. Para eso hay que remontarse más de dos mil años en el tiempo a un lugar conocido como el antiguo Egipto. En ese punto de la historia, los humanos habían desarrollado civilizaciones por todo el mundo.

Pero el antiguo Egipto, que estaba localizado en el noreste de África, era una de las civilizaciones más importantes de su tiempo. Eso se debía en buena parte a las acciones de un hombre: Alejandro Magno, un poderoso guerrero que creó uno de los imperios más grandes del mundo antiguo después de apoderarse del trono de Macedonia en el año 336 ANE. Macedonia era un reino en el norte de la antigua Grecia.

Cuando Alejandro murió en el 323 ANE, su extenso imperio se dividió en tres partes. Un hombre llamado Ptolomeo, que había sido general en el ejército de Alejandro y uno de sus consejeros más cercanos, recibió la parte del imperio conocida como Egipto. Como descendiente lejana de Ptolomeo, Cleopatra se beneficiaría de esta distribución.

Como Alejandro, Ptolomeo era griego, pero enseguida se declaró faraón, el título que se les daba a los reyes egipcios. Sin embargo, no abandonó la cultura, la religión y el idioma griegos. Hizo que la capital de Egipto —llamada Alejandría por Alejandro Magno— adoptara el modo de vida griego.

La grandiosa Alejandría

Adelantémonos doscientos cincuenta años, alrededor del 75 ANE, y Alejandría era la ciudad portuaria más grande del mundo. Cada una de

Alejandro Magno

sus dos bahías en el río Nilo podía albergar mil doscientos barcos, y la visitaban marinos de todo el mundo, trayendo conocimientos y mercancías desde Grecia, Italia, Asia y otras regiones de África.

Alejandría incluso opacaba a la ciudad italiana de Roma en términos de población, historia y

La ciudad de Alejandría

cultura. Sus trescientos mil ciudadanos estaban compuestos de muchos grupos diferentes. Los griegos, la poderosa clase dirigente, vivía en el centro de la ciudad, cerca de la Gran Bahía. Nunca se adaptaron a la cultura egipcia, a pesar de gobernar el país por cientos de años. La comunidad egipcia vivía en la zona oeste y era considerada de segunda clase.

Alejandría era una ciudad próspera y hermosa. Las calles principales estaban pavimentadas y de noche se iluminaban con antorchas. Muchos edificios eran de mármol y había estatuas y esculturas por doquier. La ciudad era colorida, adornada con toldos de seda, y en el aire flotaba el olor de perfumes y especias de todo tipo.

Hay un detalle final de Alejandría que fue muy importante para Cleopatra: las mujeres de esta sociedad tenían poder y estatus. A diferencia de la mayoría de las mujeres del mundo antiguo, las mujeres egipcias podían

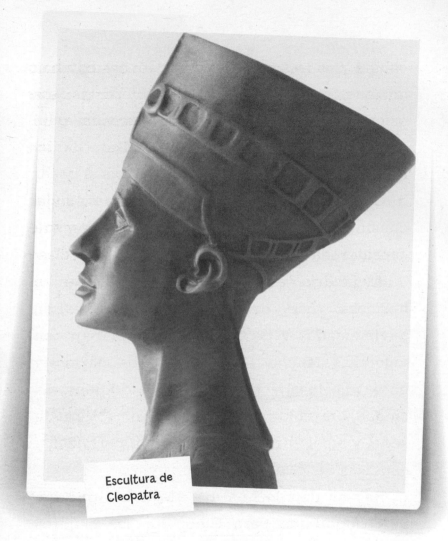

Escultura de Cleopatra

heredar y poseer propiedades sin tener que depender de sus parientes hombres.

Las mujeres podían arreglar sus propios

matrimonios y, una vez casadas, no estaban bajo el control de sus maridos. Podían administrar sus propios negocios, estuvieran casadas o no, y podían servir como sacerdotisas en los templos locales.

En resumen, el antiguo Egipto era un lugar más bien espléndido para vivir, especialmente si tenías la fortuna de nacer en el seno de la clase dirigente griega. Si, además, eras una mujer con mucho encanto y ambición, pues aún mejor.

Los antiguos egipcios usaban para escribir un sistema de símbolos llamados jeroglíficos. Así se escribía el nombre de Cleopatra en jeroglíficos egipcios.

El río Nilo: fuente de prosperidad en la antigüedad

El río Nilo fue esencial para la vida y el éxito económico de todo el antiguo Egipto, incluyendo la ciudad portuaria de Alejandría. Egipto es un país desértico, pero el agua del Nilo crea largas franjas de tierra verde a cada lado del río. Durante la temporada de lluvias, el río se desbordaba sobre el valle que estaba junto a él. Cuando las aguas se retiraban, quedaba una capa de suelo denso y fértil. Los agricultores egipcios podían cultivar todo tipo de frutas y vegetales, incluyendo uvas para hacer vino y grandes cantidades de trigo. Estos productos se consumían en Egipto y se vendían a otros países. Por eso el Nilo era tan importante para la riqueza del antiguo Egipto.

Escultura de Cleopatra

CAPÍTULO DOS

NACE UNA PRINCESA

En el año 69 ANE, alrededor de 250 años después de que Ptolomeo I se convirtiera en faraón de Egipto, su descendiente directo, Ptolomeo XII, anunció el nacimiento de una hija. La llamaron Cleopatra. Aunque se desconoce la identidad de su madre, algunos historiadores creen que pudo haber sido la esposa y a la vez hermana de Ptolomeo XII, Cleopatra Trifena. En la antigüedad, era común que los hermanos se casaran entre sí y tuvieran hijos.

Aunque Cleopatra tuvo la fortuna de haber

Cleopatra de bebé

nacido princesa, la ciudad de Alejandría y la familia gobernante (conocida como los Ptolomeo) pasaban por tiempos difíciles. Los últimos Ptolomeo que habían antecedido a Cleopatra no habían manejado el imperio con habilidad.

Aún así, el poder en declive de su familia no tuvo efectos notables en la vida de Cleopatra y sus hermanos. Ella tenía una hermana mayor llamada Berenice, una hermana menor llamada Arsínoe y dos hermanos menores a quienes ahora se les conoce solo como Ptolomeo XIII y Ptolomeo XIV.

Vida diaria de Cleopatra

De niña, Cleopatra jugaba con muñecas hechas de barro y madera, tazas en miniatura, muebles de juguete, así como pelotas, dados y juegos de mesa. Su padre era conocido con el nombre de Auletes, que significa "el flautista". Era músico y patrón de las artes en Alejandría.

Los Ptolomeo seguían la ley egipcia que decía que las mujeres podían heredar el trono de Egipto, gobernando solas o junto con esposos o hermanos. Por esta razón, Cleopatra y sus hermanas recibieron la mejor educación posible. Cleopatra y sus hermanos podían estudiar en la biblioteca de Alejandría y en su museo.

Pero los privilegios tienen su precio. En la antigüedad, incluso aquellos nacidos dentro de la realeza eran disciplinados severamente si no prestaban la debida atención. Recibían castigos si respondían las preguntas incorrectamente.

Y las lecciones eran difíciles. Se esperaba que incluso los estudiantes más jóvenes memorizaran fábulas, historias y listas de dioses y héroes. A medida que crecían, tenían que leer secciones completas de libros muy complicados y densos como La Ilíada y La Odisea, escritos por el antiguo poeta griego Homero. Leer en voz alta era común y, cuando Cleopatra era apenas una adolescente, le enseñaron el arte de hablar en público, el cual es esencial para u. gobernante que necesita la aprobación de sus súbditos. Ella además aprendió, de la historia de su familia y de los estudios de los aconteci- mientos contemporáneos, lo peligroso que era ser enemigo de Roma.

Cleopatra estudió libros escritos por Homero.

Incluso con el temor a Roma en mente, Cleopatra probablemente no se preocupaba por su futuro. La religión egipcia les daba a los faraones y a la familia real una condición similar a la de los dioses. Eso significaba que, como hijos de un faraón, Cleopatra y sus hermanos eran considerados hijos de un dios.

La vida diaria de Cleopatra era similar a la de cualquier chica romana o griega de familia pudiente, aunque su entorno era mucho más

gante. Cleopatra usaba joyas y maquillaje
esde pequeña. Dentro de casa caminaba
descalza y usaba largos y suaves vestidos de
lino o de seda, sin mangas, que llegaban al piso.
Para salir, usaba sandalias hechas de corcho o
zapatos hechos de cuero teñido. Para asuntos de
estado, incluso desde que era una adolescente,
vestía ropas tradicionales egipcias diseñadas
para hacerla lucir como las representaciones
populares de Isis, la diosa egipcia.

La astuta Cleopatra

El plan de Cleopatra de parecerse a Isis fue una
de las primeras señales de su inteligencia
política. En la religión egipcia, Isis era la esposa
de Osiris, dios del mundo subterráneo y de
los muertos. Se asociaba con la agricultura, la
fertilidad y la lealtad. Un **mito** religioso egipcio
dice que cuando el hermano de Osiris lo mató,
lo cortó en catorce pedazos que luego tiró al río
Nilo. Isis buscó por años los pedazos hasta que

los encontró, los unió y devolvió la vida a su esposo.

Por todo el Mediterráneo, incluida la ciudad de Roma, Isis era vista como una renovadora de la vida a pesar de las grandes dificultades que pudiera enfrentar. Identificarse con ese mensaje fue una inteligente movida política de Cleopatra.

Tal decisión cobró mayor importancia a medida que el poder de su familia se debilitaba. En el año 58 ANE, cuando Cleopatra tenía once años, los ciudadanos de Alejandría se rebelaron contra los altos impuestos y contra la creciente intromisión de Roma en los asuntos egipcios. Al padre de Cleopatra no le quedó otra opción que pedirle protección a Roma en contra de sus propios ciudadanos, quienes lo expulsaron de Egipto. Ptolomeo XII huyó a Roma para ponerse a salvo.

Una comida digna de una reina

Egipto era una potencia agrícola gracias al río Nilo. Dado que Cleopatra pertenecía a la realeza, sus opciones de comida eran interminables e incluían cerdo y pollo, además de ofertas inusuales como puercoespín, codorniz y gacela. Ella también comía ajo, cebolla, queso, frijoles, lentejas, pepinos, lechuga, huevos y bastante pan. Alejandría era una ciudad portuaria, así que se podía obtener casi todo tipo de peces y mariscos. Todo el mundo comía con las manos, aunque la realeza comía en platos de plata y oro. A veces el pan era usado como plato o incluso como servilleta. Entre los postres se incluían las uvas, los higos y los pasteles de miel.

Fértiles tierras de labranza a orillas del río Nilo

Las ruinas del
Foro Romano

CAPÍTULO TRES

LUCHAS POR EL PODER

Aunque no se sabe mucho del padre de Cleopatra, hay una cosa que es bastante cierta: no gobernó Egipto bien. De hecho, se las arregló para malgastar la mayor parte del dinero del estado. A pesar de sus fallos como gobernante, se piensa que Cleopatra sentía debilidad por su padre y él aparentemente también sentía devoción por ella. Debe de haber sido muy difícil para Cleopatra verlo fracasar.

Una vez que Ptolomeo XII fue expulsado de Alejandría, la hermana mayor de Cleopatra,

Berenice IV, se apoderó del gobierno. A estas alturas, Cleopatra probablemente conocía bien el comportamiento despiadado y traicionero de su familia, pero aun así la acción de su hermana debe de haberla sorprendido.

Luchas por el poder

Berenice era popular entre los ciudadanos de Alejandría, así que pensó que se convertiría en una líder eficaz. Sin embargo, el hecho de que no estuviera casada complicaba la situación. Aunque a las mujeres egipcias les estaba permitido gobernar solas, usualmente tenían un cogobernante. Nadie sabe por qué Berenice no se casó de una vez para resolver el problema, pero a la gente en Alejandría no le gustaba que ella estuviera soltera, así que eligieron un príncipe extranjero para ella. Desgraciadamente, no le interesó mucho el elegido e hizo que lo estrangularan pocos días después del casamiento. Su segundo esposo, Arquelao, un sacerdote al que no le gustaba Roma, le pareció mejor y juntos gobernaron tres años.

Cleopatra conoció de primera mano las traiciones y asesinatos que ocurrían en su familia. No se sabe nada de lo que ella hizo durante el período en que su hermana gobernó Egipto, lo que probablemente significa que continuó sus estudios y se mantuvo fuera de la vida pública.

Cleopatra era muy lista e, incluso desde su adolescencia, está claro que perseguía objetivos a largo plazo. Quería que los egipcios la quisieran. Quería convertirse en su reina. Probablemente con ese objetivo en mente, aprendió a hablar egipcio. Ella fue el único miembro de la familia en hacerlo. Con esto se ganó el favor de los egipcios nativos, incluso más que con su decisión de asumir la apariencia pública de Isis.

La gente también debe de haber quedado impresionada con su intelecto. Cleopatra sabía hablar nueve idiomas, lo cual era una ventaja

Antiguo jeroglífico egipcio

inmensa, especialmente en la gran ciudad portuaria de Alejandría.

Con seguridad, Cleopatra sabía que tenía posibilidades reales de convertirse en gobernante de Egipto. Había muchas mujeres en la familia ptolemaica que habían ejercido el poder, incluida su hermana mayor. Cuando el poder de Berenice sobre Alejandría se debilitó, Cleopatra vio que podía apoderarse del trono. Los días de Berenice como gobernante de Egipto estaban contados.

El padre de Cleopatra y Berenice, Ptolomeo XII, había ganado suficiente apoyo de Roma para organizar un ejército que le arrebatara Alejandría a su hija. Al mando de la caballería estaba un joven llamado Marco Antonio, quien peleó valientemente contra los alejandrinos. Para aquellos en Alejandría que se habían mantenido leales al faraón mientras este había estado exiliado en Roma —como era el caso de la princesa de catorce años, Cleopatra— Marco Antonio era considerado un héroe.

El ejército romano venció rápidamente a los alejandrinos, Alejandría cayó y el esposo de Berenice murió en combate. Ptolomeo XII hizo ejecutar a su hija Berenice por sus crímenes en contra de él; el crimen principal fue el de **traición**.

Ptolomeo escribió su testamento nombrando a Cleopatra y a su hermano de seis años, Ptolomeo XIII, como sus **sucesores**. Ellos serían

Marco Antonio dirige la caballería.

los próximos en la línea al trono. Ptolomeo XII quería garantizar que su familia continuara reinando. Probablemente también quería proteger a Cleopatra de posteriores luchas por el poder dándole un casamiento sólido dentro de la propia familia lo más pronto posible. Al casar a Cleopatra con su hermano mantendría el poder dentro de la familia.

Ptolomeo XII murió de causas naturales en el 51 ANE. Es probable que Cleopatra se haya encargado de las ocupaciones diarias del gobierno del imperio durante los últimos meses de vida de su padre. Cuando Cleopatra ocupó el trono a los dieciocho años junto con Ptolomeo XIII, ella era la que estaba al mando y no iba a dejar que su hermano de diez años le dijera lo que tenía que hacer. A diferencia de la mayoría de sus ancestros, estaba preparada para hacerse cargo del trono y del país. Y eso era bueno porque estaba a punto de heredar una situación muy complicada.

Matrimonio entre hermanos: todo en familia

Las familias reales del antiguo Egipto se casaban dentro de la propia familia. Ellos creían que descendían de los dioses mismos. Como los dioses y las diosas de los mitos se casaban entre ellos, igual hacían los faraones. Los mitos religiosos griegos estaban llenos de relaciones entre hermanos y hermanas. Zeus, el poderoso padre de los dioses y los hombres, estaba casado con su hermana, Hera. En el caso de Cleopatra y su hermano menor, Ptolomeo XIII, su matrimonio era una vía de consolidar el poder de la familia. Su matrimonio era también un modo de honrar a los dioses y de mantener la pureza de la sangre de los Ptolomeo.

Este templo griego fue construido para honrar a Zeus.

El río Nilo en
Egipto

CAPÍTULO CUATRO

LOS INESTABLES INICIOS DEL REINO DE CLEOPATRA

Una vez que Cleopatra ocupó el trono, continuó su campaña para ganarse al pueblo egipcio. Es importante recordar que Cleopatra no era realmente egipcia de nacimiento. A causa de esto tenía la firme convicción de que para mantener el poder tenía que identificarse más con la población egipcia. Los alejandrinos habían traicionado a su padre y lo habían expulsado del trono. Podían hacerle lo mismo a ella, así que apeló a los egipcios fuera de Alejandría.

Pocas semanas después de la muerte de su padre, Cleopatra salió de viaje con la flota real a la antigua ciudad egipcia de Tebas. El propósito del viaje era participar en una ceremonia religiosa. Estando en Tebas, Cleopatra se declaró a sí misma diosa. Esta fue una acción impresionante para los egipcios, quienes adoraban a los dioses. Su título como reina era Cleopatra VII Filopator, Señora de las Dos Tierras.

Filopator significa "la que ama a su padre". Sabemos que Cleopatra y Ptolomeo habían sido

Cleopatra viaja a Tebas.

cercanos, pero como la mayoría de las cosas que Cleopatra hacía, este gesto tenía un mensaje político. Era un recordatorio a los alejandrinos de que ella era la hija del faraón, el hombre al que ellos habían traicionado. La segunda parte de su título, Señora de las Dos Tierras, se refería al poder de Cleopatra sobre el Alto y el Bajo Egipto y sobre los siete millones de egipcios que vivían allí.

¿Y qué pasaba con el hermano menor de Cleopatra y cogobernante? Al parecer, al principio Ptolomeo XIII no se inmiscuyó en el gobierno del país. De hecho, las monedas fabricadas durante el primer año de reinado conjunto de los hermanos solo tenían la cara de Cleopatra. No hay mención del hermano menor, lo cual probablemente le parecía bien a Cleopatra.

Sin embargo, para el 49 ANE el equilibrio de poder se había inclinado hacia el grupo de consejeros de Ptolomeo XIII. Ptolomeo apenas tenía doce años y era fácilmente controlado por los estadistas veteranos. Sabían que la brillante y capaz Cleopatra era una amenaza constante a su propio poder y se las arreglaron para expulsarla.

Los primeros años de la reina Cleopatra

Parte de la pérdida de control de Cleopatra durante la primera etapa de su reinado fue resultado de causas naturales. El Nilo no se desbordó en los primeros dos años del reinado de Cleopatra y Ptolomeo XIII. Eso era un problema porque las inundaciones eran necesarias para hacer el suelo apto para el cultivo. Como Cleopatra era la gobernante más visible, sobre ella recayó buena parte de la culpa. Siendo una diosa, se suponía que debía evitar algo así. Sin cosechas de las que alimentarse y con la **hambruna** como una posibilidad real, los alejandrinos empezaron a considerar una rebelión abierta en contra de los gobernantes del país.

Los consejeros de Ptolomeo XIII empezaron a difundir rumores que culpaban a Cleopatra por la crisis. Cleopatra sabía que no podía hacer nada y la opinión pública empezó a volverse en su contra. De modo que salió huyendo de la capital y buscó **refugio** en el desierto.

Con Cleopatra alejada de la escena, Arsínoe, su hermana de diecisiete años, empezó a tener relaciones con Aquilas, general de Ptolomeo XIII. Al parecer, la costumbre de la familia de los Ptolomeo de traicionar a los suyos seguía en pie. Los miembros de la familia constantemente competían por el poder.

La historia preparó a Cleopatra para este giro de los acontecimientos. Huyó a los desiertos de Siria y allí empezó a reunir un ejército. Sus habilidades con los idiomas fueron una ventaja. Mientras reclutaba un ejército **mercenario** en Siria, les hablaba a los sirios y a los medos en sus propias lenguas. También ayudaba que tuviera sólo veintiún años y que fuera bella y persuasiva.

El ejército de Cleopatra preocupó a Ptolomeo y sus consejeros lo suficiente para que enviaran sus propias tropas a enfrentarlos en Pelusio, una fortaleza cerca del mar Mediterráneo. Este ejército estaba compuesto de veinte mil soldados incluidos bandidos, exiliados y esclavos fugitivos.

La situación era aún más complicada porque en Roma se desarrollaba una guerra civil entre dos hombres y sus ejércitos. Julio César y Pompeyo el Grande eran dos poderosos generales romanos que querían dominio completo sobre Roma. César derrotó a Pompeyo en agosto del año 48 ANE y ganó la guerra. Pompeyo había sido siempre aliado y protector del padre de Cleopatra, así que cuando fue derrotado por César en la guerra civil decidió huir a Egipto.

Julio César

46

Los consejeros de Ptolomeo XIII no se ponían de acuerdo en qué hacer con Pompeyo. Darle refugio causaría la furia de Roma, algo que ningún monarca egipcio podía permitirse. Además, una vez que estuviera en Egipto podría apoyar a Cleopatra, con quien se llevaba bien. Finalmente Teódoto, tutor y consejero de Ptolomeo XIII, le recomendó que asesinara a Pompeyo. Un mensaje de bienvenida y un bote fueron enviados al encuentro del barco de Pompeyo, y Ptolomeo XIII vio desde la playa como Pompeyo era asesinado antes de llegar a la costa.

Aunque es probable que este asesinato no sorprendiera a Cleopatra, seguramente la hizo sentir más **vulnerable**. Si su ejército no vencía al de su hermano, sabía que sería asesinada como Pompeyo. Ella necesitaba a su lado a un líder romano con un ejército.

Afortunadamente, consiguió uno.

¿Cómo lucía Cleopatra?

No existen pinturas o dibujos confiables de Cleopatra. No obstante, sabemos que su belleza ha sido exagerada a lo largo de los años. Los antiguos historiadores coincidían en que era bonita, pero no increíblemente preciosa. Tenía cara ovalada y ojos grandes y bien separados. Era de baja estatura y posiblemente tenía el pelo oscuro y la piel del color de la miel.

Pero mientras el aspecto de Cleopatra está abierto a debate, se sabe que la manera en que hablaba y se conducía realzaba su belleza. La cultura en aquella época era oral, y Cleopatra hablaba estupendamente. De acuerdo con los historiadores, ella estaba bendecida con "ojos brillantes" y también con "elocuencia y carisma", una "presencia imponente" y una "rica voz aterciopelada". ¡Ser una de las mujeres más ricas del mundo tampoco hacía daño!

Una estatua de
Julio César

CAPÍTULO CINCO

LA APUESTA DE CLEOPATRA

Julio César le seguía los pasos a su derrotado rival. Tres días después del asesinato de Pompeyo, César llegó a Egipto. La mayor parte de sus tropas no había llegado todavía. Vestía el color rojo imperial de un emperador de Roma, lo cual aumentó la ansiedad de los alejandrinos. Les preocupaba que César estuviese a punto de adueñarse del país. Cuando César llegó al palacio, Teódoto trató de entregarle la cabeza cercenada de Pompeyo. El victorioso general romano volteó la vista y rompió a llorar, aunque la mayoría de los historiadores cree que el despliegue de dolor por la muerte de su antiguo rival era pura actuación.

César se apoderó inmediatamente de una sección del palacio de los Ptolomeo. Los alejandrinos se amotinaron en contra de él, y mandó a buscar refuerzos de inmediato. Luego del asesinato de Pompeyo y la llegada de César, Ptolomeo XIII había huido para estar con su ejército en Pelusio. Potino, un antiguo sirviente del joven rey y uno de sus consejeros más cercanos, fue rápidamente a Pelusio para traerlo de vuelta de su confrontación con las tropas de Cleopatra.

Incluso cuando Pompeyo ya no representaba una amenaza para César, sus partidarios todavía estaban activos en el senado romano, así que César decidió quedarse en Alejandría. En una carta a casa le echó la culpa al clima, afirmando que estaba retenido en Egipto a causa de "los dominantes vientos del noroeste". No quería admitir la razón real, que era que Egipto era un país muy rico y él necesitaba dinero para asegurar su poder político y militar. Pero quedaba claro que César tendría que arreglar la situación política entre Cleopatra y Ptolomeo XIII si quería algo del apoyo y las riquezas de Egipto.

César convocó a Cleopatra y a Ptolomeo XIII para ayudarlos a resolver sus diferencias. Cleopatra no podía arriesgarse a llevar su ejército a Egipto mientras el ejército de Ptolomeo se interpusiera en su camino en Pelusio, pero tampoco podía esconderse indefinidamente. Cada día que pasaba en el que ella no se presentaba a abogar por su causa en la disputa con su hermano era otro día que los consejeros

Ptolomeo en jeroglíficos

de Ptolomeo tenían a César de su lado. Cleopatra tenía que idear un plan, ¡y rápido!

Un plan real

La astuta Cleopatra trazó un plan que incluía a uno de sus más fieles amigos, un hombre llamado Apolodoro. Los dos navegaron disfrazados por

Cleopatra y Apolodoro viajan por el Nilo.

el Nilo y la costa de Alejandría. Todo ese tiempo, los consejeros de Ptolomeo trataban de demorar su encuentro con César, por lo que le aconsejaban que no volviera al palacio de Alejandría. El consejero Potino no quería que Cleopatra y Ptolomeo se reconciliaran, y tampoco quería que Roma se inmiscuyera en los asuntos egipcios.

Mientras tanto, un diminuto botecillo de dos remos se coló en la Gran Bahía de Alejandría. Mientras Apolodoro remaba, Cleopatra se metió en un saco grande, hecho de cáñamo o de piel. Era el tipo de cosa que se usaba para transportar oro o rollos de papiro. Apolodoro ató el saco con un cordón de piel y se lo echó al hombro ¡con mucho cuidado! Emprendió el camino hacia el palacio donde había crecido Cleopatra. Era un lugar hermoso, los pisos con mosaicos de dibujos intrincados o de ónice negro. Apolodoro llevó a Cleopatra sobre el hombro por los jardines del palacio, dejándola finalmente en las habitaciones de César, las cuales técnicamente todavía le pertenecían a Cleopatra por ser gobernante de Egipto.

No era fácil sorprender a César a sus cincuenta y dos años, pero Cleopatra lo consiguió. A ninguno de los dos se les escapó el

Cleopatra sorprende a César.

dramatismo del momento; ambos habían sido criados en la misma cultura teatral. Después de la sorpresa inicial de ver a una joven saliendo de un saco delante de él, nadie supo exactamente qué pasó entre ellos.

Cleopatra se había puesto de parte de Pompeyo y en contra de César durante la guerra civil de Roma, así que tenía asuntos que hablar con el general romano. No obstante, confiaba en impresionarlo. A pesar de su juventud, ya había sido una reina diosa, había vivido **exiliada** y había organizado un ejército que la ayudara a recuperar su trono. Además, se había puesto completamente en manos de César. Si él prefería ponerse de parte de su hermano, todo lo que tenía que hacer era matarla: ella misma le estaba ofreciendo una oportunidad fácil de hacerlo.

Retrato de Julio César

¿Por qué César era tan poderoso? Para empezar, le gustaba viajar rápido. A menudo cabalgaba por delante de sus tropas, señal de que estaba dispuesto a pelear en lugar de dejar que otros lo hicieran por él. Además, tomaba decisiones con rapidez y confiaba en su propia manera de juzgar a la gente. César era también valiente. Sila, el dictador de Roma cuando César era joven, le comunicó que si no se divorciaba de su esposa lo mandaría a ejecutar. César se negó, se unió al ejército y no regresó a Roma hasta después de la muerte de Sila. Ascendió rápidamente en los cargos militares y políticos. Pompeyo, que temía la riqueza y el poder de César, usó su propio poder como cabeza del senado romano para ordenarle a César que regresara a Roma sin su ejército, pero César rehusó. En resumen, era el tipo de hombre que no recibe órdenes de nadie.

Cleopatra

CAPÍTULO SEIS

CLEOPATRA CAUTIVA A CÉSAR

No se sabe exactamente qué se dijeron Cleopatra y César esa noche, pero está claro que él quedó impresionado por la joven. Ella demostró con claridad que debía ser la reina de Egipto y César estuvo de acuerdo.

César declaró que Ptolomeo y Cleopatra debían reconciliarse y Cleopatra debía mantener la condición. de cogobernante. Los consejeros de Ptolomeo se quedaron sorprendidos por la declaración de César, ya que creían que, al estar cerca de Ptolomeo y César, controlaban a

ambos y, por tanto, tenían ventaja sobre Cleopatra. Cuando Ptolomeo XIII escuchó la noticia salió del palacio a la calle y le gritó a la multitud que Cleopatra lo había traicionado. Los hombres de César lo agarraron y lo llevaron de vuelta al palacio donde se le mantuvo bajo arresto domiciliario.

Los alejandrinos se amotinaron y a los hombres de César les costó mucho detener la violencia. Potino, el consejero de Ptolomeo, alentó la rebelión pensando que podría expulsar a los romanos y sacar a Cleopatra del poder al mismo tiempo. César no entendía bien la política alejandrina pero aprendió rápido. Dio un discurso convincente a los alejandrinos, posiblemente desde las ventanas superiores del palacio o desde los balcones, en el que prometió hacer lo que el pueblo deseaba. Es posible que Cleopatra le aconsejara lo que debía decirle a su pueblo.

Una reunión real

Ptolomeo XIII estuvo de acuerdo en gobernar junto con su hermana aunque probablemente contaba con sus consejeros para que lo mantuvieran en el poder. En esos días, ellos organizaban el retorno en secreto del ejército de Ptolomeo a Alejandría para que luchara contra los soldados de César. En una asamblea formal, Cleopatra y Ptolomeo XIII se pararon junto a César mientras este leía en voz alta el testamento de Ptolomeo XII. César subrayó que estaba claro que el viejo faraón quería que los dos hermanos gobernaran juntos bajo la tutela amistosa de Roma. Por eso, César les hizo entrega de su reino. Además les otorgó la isla de Chipre a los otros dos hermanos, Arsínoe y Ptolomeo XIV.

Aunque el testamento era claro, leerlo en voz alta no resolvía necesariamente el problema. Todavía los ejércitos de César y Ptolomeo estaban en guerra. Los consejeros de Ptolomeo querían sacar a César de Egipto para mantenerse en el poder. En octubre, Aquilas, general de Ptolomeo, dirigió el ejército hacia Alejandría. César se negó a irse. Instaló su puesto de mando en el palacio para proteger a la familia real mientras la lucha entre el ejército de Ptolomeo y el suyo estallaba a su alrededor.

La Guerra Alejandrina

La batalla vendría a ser conocida como la Guerra Alejandrina. Duró meses, hasta que los refuerzos de César llegaron a Egipto. César dirigió a sus hombres en un ataque sorpresa contra el campamento de Ptolomeo. Hizo retroceder a los soldados hasta el Nilo y el propio Ptolomeo se ahogó en el río durante la batalla final.

La Guerra Alejandrina

La guerra acabó de inmediato. El 27 de marzo del año 47 ANE, César desfiló por Alejandría, a la cabeza de sus tropas, exhibiendo la armadura **dorada** de Ptolomeo como símbolo de su victoria. El pueblo le suplicó piedad inclinándose frente a él y César se la concedió. Tenía sus ojos puestos en el premio, que era la gran riqueza de Egipto. Quería un gobierno estable en Egipto, que fuera amigo de Roma, y tenía razones para querer que ese gobierno incluyera a Cleopatra.

César tenía la oportunidad, como conquistador de Alejandría, de tomar a Egipto como parte de la república romana, pero esta opción le traía algunos problemas. Si él hacía oficialmente a Egipto parte del Imperio Romano, tendría que designar a alguien que lo controlara y esa persona tendría acceso ilimitado a vastos tesoros y recursos. Esa persona podría organizar un ejército inmenso y amenazar el propio poder de César, para no hablar de amenazar a Roma directamente. César decidió que era mejor dejarle el mando a Cleopatra.

Cuando terminó la guerra, César perdonó a todos los enemigos suyos y de Cleopatra, excepto a Arsínoe, la última hermana que le quedaba a Cleopatra. La envió a Roma como prisionera. Quería quitársela del camino porque había demostrado no ser confiable. Cleopatra se casó con el único hermano que le quedaba, Ptolomeo XIV, y volvió a reinar prácticamente sola. Era hora de que César regresara a Roma, pero se quedó en Egipto, donde él y Cleopatra tuvieron una relación romántica, a pesar de que César tenía una esposa en Roma.

Recién terminada la guerra, Cleopatra y César viajaron Nilo arriba en la barcaza real. Los acompañaban cuatrocientas embarcaciones de diferentes tamaños. La pareja contempló las pirámides y los numerosos e impresionantes templos ubicados a orillas del Nilo. Dondequiera

Cleopatra y César viajan
juntos por el Nilo.

que iban, eran adorados. Cleopatra usó este viaje para propósitos tantos políticos como personales. Ella siempre había sido popular con la población nativa de Egipto, y esa era su oportunidad de exhibirse una vez más como un ser poderoso y divino luego de su exilio y de la guerra.

En ese momento Cleopatra estaba embarazada. Cleopatra proclamó que César era el padre del niño y César nunca lo negó.

Pero César ya no podía permanecer más tiempo en Egipto con Cleopatra. Tenía que regresar a Roma con su mujer, Calpurnia. Partió de Egipto en mayo del 47 ANE, dejando un ejército compuesto de tres **legiones** para proteger a los Ptolomeo y mantener la paz. El 23 de junio Cleopatra dio a luz a su hijo. Lo llamó Ptolomeo César pero lo llamaba Cesarión, que significa "Pequeño César".

Estatua de
Julio César

CAPÍTULO SIETE

LA TRAICIÓN A CÉSAR

Cleopatra y Ptolomeo XIV viajaron a Roma junto con Cesarión en el 46 ANE. En septiembre, las victorias de César en muchos lugares diferentes fueron celebradas en Roma. Es posible que Cleopatra estuviera allí para esas celebraciones, las cuales incluían un desfile con los trofeos de guerra de César. César iba de último en el desfile, acompañado de cuarenta elefantes que llevaban antorchas para iluminar el camino.

Arsínoe también estaba en el desfile. La

conducían por las calles encadenada como a los prisioneros de guerra. Muchos romanos sintieron simpatía por la joven princesa. Estaban impresionados por la dignidad con la que ella desfiló por las calles. Pidieron clemencia para ella y César aceptó perdonarle la vida.

Política romana

Sin embargo, los romanos no sabían cómo reaccionar ante Cleopatra. En parte porque César no se esforzó en esconder la verdadera naturaleza de su relación con Cleopatra. Le dio una villa de su propiedad en una parte rica de la ciudad. Hay pocos detalles documentados de la estancia de Cleopatra en Roma, pero hubo rumores de que César planeaba aprobar una ley que le hubiera hecho posible tener dos esposas. También quería reconocer a Cesarión como su heredero en Roma (en ese tiempo los extranjeros no podían heredar terreno en Roma) y quería declararse rey y gobernar como un dios.

La cultura romana era mucho más conservadora que la alejandrina. Los romanos sintieron rechazo por los lujos y regalos que César le ofreció a la reina egipcia y culparon a Cleopatra por el comportamiento de César. Ella era además una mujer poderosa en una sociedad que no apreciaba a las mujeres poderosas. Las mujeres en Roma apoyaban las carreras

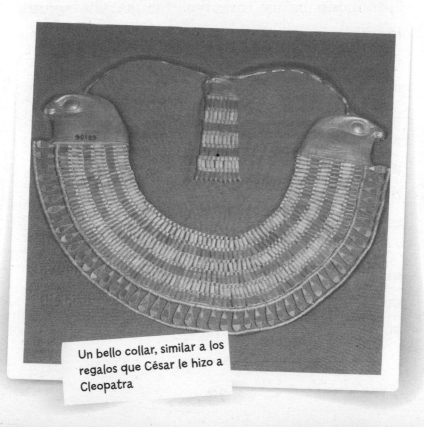

Un bello collar, similar a los regalos que César le hizo a Cleopatra

políticas de sus maridos pero no participaban en política.

A pesar de las dificultades, parecía que la estancia en Roma había beneficiado políticamente a Cleopatra. César renovó públicamente el pacto que había hecho con Ptolomeo XII, declarándola amiga y aliada de Roma.

Aunque había rumores de que Cleopatra tenía mucha influencia sobre él, César también era muy popular entre el pueblo. Sus victorias militares fueron las más impresionantes en la Historia de Roma y, en el 44 ANE, el senado romano reconoció el poder de César y lo nombró dictador de por vida. Usualmente los dictadores eran designados solo durante emergencias y por un tiempo limitado.

César inmediatamente planeó una expedición militar para conquistar el Imperio Parto (actualmente en Irán). Cleopatra decidió ir con él. Ella costeaba la expedición y quería asegurarse de que Egipto obtuviera su parte en las ganancias que generara. La fecha de la partida estaba fijada para el 17 de marzo, pero los enemigos de César tenían otros planes.

Una gran traición

El 15 de marzo de 44 ANE César fue asesinado en la escalinata del senado. El plan para matarlo involucraba a dieciséis hombres, pero los dos que cometieron la acción fueron Bruto y Casio. De acuerdo con Plutarco, un biógrafo e historiador griego, César fue apuñalado veintitrés veces. Ese hecho quedó en la historia como una de las mayores traiciones de todos los tiempos.

César no reconoció a Cleopatra ni a Cesarión en su testamento. En su lugar, le dejaba su patrimonio a su sobrino nieto Octavio, a quien César había declarado su hijo adoptivo. Había también una línea en su testamento nombrando guardianes para cada uno de los hijos

Octavio

que pudiera haber tenido. Cleopatra tenía alrededor de siete meses de embarazo en ese momento y no había dudas de que el niño era de César. Después de su muerte, Cleopatra esperó algunas semanas antes de partir con su hermano y su hijo. Ella estaba sopesando sus opciones. Podía haber considerado quedarse y dar a luz al niño en Roma, pero la ley romana establecía que un niño nacido de una extranjera no podía ser considerado legítimo. Así que tomó la decisión de irse.

Mientras tanto, Marco Antonio, que había sido segundo al mando en Roma, se hizo cargo de los deberes de estado de César, pero Roma se estaba encaminando hacia una guerra civil. De camino a casa, Cleopatra tuvo que negociar

Arsínoe estaba molesta por el regreso de Cleopatra a Egipto.

con su hermana Arsínoe, que había ganado poder durante el tiempo que Cleopatra había estado en Roma. Arsínoe había conseguido regresar a Egipto después de que César le hubiera perdonado la vida enviándola al exilio. Ahora estaba tratando de recuperar el control de Chipre, la isla que César le había dado.

Cleopatra se apoderó de Chipre e hizo acuñar monedas que la mostraban a ella cargando a su hijo recién nacido. Se cree que Arsínoe, mientras Cleopatra estuvo fuera, había encontrado un hombre al que hizo pasar por Ptolomeo XIII, milagrosamente regresado de los muertos, y había reclamado el trono con él a su lado. El plan fracasó, pero a Cleopatra le preocupaba que Arsínoe pudiera empezar a manipular a Ptolomeo XIV, quien ahora tenía quince y probablemente quería poder. Ptolomeo sobrevivió su viaje a Roma, pero no duraría mucho luego de regresar a casa.

Una moneda con el perfil de Cleopatra, 51-30 ANE

Ptolomeo XIV murió de causas desconocidas a finales del verano del año 44 ANE. Es posible que Cleopatra lo envenenara para evitar que se convirtiera en un enemigo, aunque nadie está seguro de qué pasó. Cleopatra nombró a su hijo Cesarión cogobernante. Como el niño tenía tres años, ella gobernaba Egipto sola y no tenía necesidad de buscar un esposo, y los funcionarios en quienes había confiado en su ausencia probaron ser leales. Los problemas que debía enfrentar ahora no eran políticos, al menos por un rato.

Sin embargo, no pasó mucho tiempo antes de que Egipto fuera arrastrado a la última guerra civil romana.

El calendario juliano

César reformó el calendario romano para hacerlo coincidir con la manera egipcia de medir el tiempo. "El cambio del calendario lunar al solar causó un alboroto", escribió un erudito. Antes, los sacerdotes romanos eran los que decidían cuándo añadir días extras al año lunar y usaban ese poder para manipular los eventos políticos. Al cambiar al calendario solar, César le quitó poder a los líderes religiosos. Este calendario terminó siendo conocido como el calendario juliano en honor a Julio César.

MARTIVS APRILIS MAIVS IVNIVS IVLIVS SEXTILIS SEPTEMBRIS OCTOBRIS NO

Calendario juliano

Octavio, Marco Lépido y Marco Antonio (arriba) lucharon contra Bruto y Casio (abajo).

CAPÍTULO OCHO

CLEOPATRA CONOCE A MARCO ANTONIO

Dos bandos estaban en guerra en Roma: los cesarianos, que se mantenían leales a César y a sus ideales al final de su vida, y los republicanos, a quienes no les gustaba el camino que Roma había tomado bajo el mando de César. Octavio, Marco Lépido y Marco Antonio dirigían a los cesarianos. Bruto y Casio, los dos hombres que habían asesinado a César, encabezaban a los republicanos.

Cleopatra debía caminar por una cuerda floja. No podía apoyar a ningún bando muy

Escultura de Octavio

decididamente porque no podía predecir quién iba a ganar. Uno de los cesarianos, Dolabela, mandó a uno de sus subordinados a Egipto para tomar el mando de las cuatro legiones que todavía estaban en Alejandría y ella las dejó ir sin oponerse. Uno de sus gobernadores envió barcos para ayudar a los republicanos supuestamente sin su conocimiento. Estas acciones confusas implicaron que cuando los cesarianos finalmente derrotaron a los republicanos en la batalla de Filipos, en Macedonia, en octubre del año 42 ANE, la reina egipcia estuviera en una situación delicada una vez más. Los jefes cesarianos dividieron la responsabilidad del imperio en tres regiones. Octavio se quedaría en Roma y Marco Antonio tendría el mando de la porción oriental del imperio, incluidos los estados y los aliados, uno de los cuales era Egipto.

Marco Antonio estuvo en Grecia durante el invierno del 42 al 41 ANE reuniendo dinero para una expedición para conquistar Partia y atrayendo mucha atención y admiración. Hasta se comparó con los dioses. Estaba preparándose bien para su campaña contra Partia pero sabía que necesitaba los recursos y el apoyo de Egipto, y creía estar en una posición ventajosa frente a su reina.

Marco Antonio y Cleopatra

Marco Antonio se instaló en la ciudad portuaria de Tarso y le mandó un mensaje à Cleopatra instándola a que se encontrara con él. Necesitaba saber de qué parte ella estaba ya que eso no había sido obvio durante la guerra. Ella ignoró algunas solicitudes para reunirse con él, aunque probablemente tenía planeado ir. Cuando por fin llegó, fue un espectáculo inolvidable.

Cleopatra llegó a Tarso en la barcaza real, que había sido recubierta de oro para la ocasión. Tenía velas púrpuras perfumadas y la reina estaba sentada en un dosel de tela de oro vestida como la diosa Isis. Niños vestidos como dioses griegos la abanicaban, y la tripulación de la

Cleopatra hace su gran entrada.

embarcación estaba compuesta enteramente por mujeres vestidas como ninfas que usaban remos de plata para remar. Marco Antonio estaba celebrando una reunión en la plaza del mercado pero el público lo abandonó para correr a los muelles y ver la fastuosa entrada de Cleopatra.

Marco Antonio invitó a Cleopatra a cenar, pero ella rechazó la invitación. ¡En su lugar, lo invitó a cenar con ella! Había convertido la barcaza en un país de hadas. Miles de antorchas minúsculas habían sido atadas a los cordajes de la embarcación. Los platos y las copas eran de oro con incrustaciones de piedras preciosas.

La comida era extravagante, y tapices con hilos de oro y plata decoraban la barcaza. Marco Antonio estaba abrumado y no solo por la comida. Cleopatra tenía veintiocho años y se mostraba tan bella e inteligente como siempre. Ella le dio el golpe de gracia al decirle al final de la comida que se podía llevar todo: los tapices, los platos, las copas e incluso los divanes. Las siguientes dos noches hizo lo mismo. La cuarta noche los invitados tuvieron que caminar al banquete a través de un salón cubierto con pétalos de rosa que les llegaban a las rodillas.

Marco Antonio se rindió a los encantos de Cleopatra. Ella estaba conectada con los dioses y él quería esa conexión para sí mismo. Ella claramente deseaba darle los recursos que él quisiera. Además, Cleopatra y Marco Antonio se gustaban. Eran jóvenes, ambiciosos, hermosos y brillantes cada uno en su estilo. Las dudas de Marco Antonio sobre la resistencia de Cleopatra a tomar partido durante la guerra civil fueron echadas a un lado cuando se dio cuenta de la atracción que existía entre ellos y de lo mucho que podían ayudarse entre sí.

Retrato de Marco Antonio

Marco Antonio era un líder militar capaz, popular y amante de la diversión. Había ascendido a los grados más altos bajo el mando de Julio César. Cuando César se hizo dictador, Marco Antonio fue designado Jefe de Caballería, el segundo al mando de César. Desgraciadamente su relación con César se volvió tirante porque a César no le gustaba la vida que Marco Antonio llevaba en Roma. Aún así Marco Antonio siguió siendo leal a César incluso hasta después de su muerte.

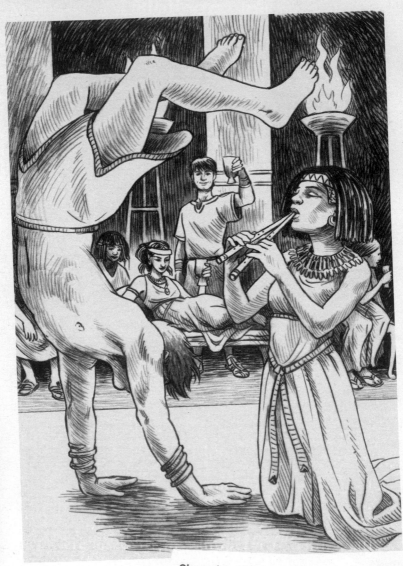

Cleopatra y Marco Antonio
celebraban fiestas asombrosas.

CAPÍTULO NUEVE

SE TRAZAN LAS LÍNEAS DE BATALLA

Cleopatra fue una reina dedicada y habilidosa. No hubo revueltas a gran escala contra ella y siempre fue capaz de manejar la compleja maquinaria del gobierno egipcio. Pero cuando Marco Antonio regresó a Egipto en el 41 ANE, su reinado se convirtió en una mezcla de placer y asuntos de gobierno. Cleopatra estaba encantada de tener a Marco Antonio de vuelta y gastó mucho tiempo y dinero para entretenerlo. Marco Antonio estaba feliz.

La nueva y alegre Cleopatra sorprendió a

muchos. Ella y Marco Antonio formaron un grupo llamado "La Orden de la Vida **Inimitable**" o los Vividores Inimitables. Junto con unos pocos elegidos de la nobleza de Alejandría, se dedicaron a los placeres y a la comida. Se turnaban para dar fiestas y banquetes **extravagantes**, en los que cada uno trataba de superar a los otros. Cleopatra pasaba mucho tiempo con Marco Antonio haciendo todo tipo de actividades: competencias deportivas, festivales, juegos de apuestas, concursos y peleas de espadas.

La pareja real también se vestía como la gente común y de noche se escabullía por las calles de Alejandría. Marco Antonio a veces buscaba pelea anónimamente con la gente solo por el placer de hacerlo. Los alejandrinos sabían quiénes eran pero no se daban por enterados, apenas se aseguraban de que Marco Antonio no terminara demasiado golpeado.

Esta conducta no cayó bien en Roma. La

Cleopatra y Marco Antonio
vestidos como gente común.

reputación de Cleopatra sufrió todavía más. La diosa egipcia parecía haberse robado a otro buen romano. Octavio, que estaba en Roma, no perdió tiempo en usar esa oportunidad en su favor.

El deber llama

En la primavera del año 40 ANE, el ejército parto empezó a desplegarse hasta lo que hoy son Israel y Jordania. De mala gana, Marco Antonio decidió que era hora de terminar sus vacaciones y reunirse con sus tropas en Siria. Cleopatra estaba embarazada de él. Muchos de sus antiguos aliados en la región y de los soldados republicanos leales a la causa de Casio se habían unido a las fuerzas partas. Sus propias tropas estaban desorientadas sin su guía, y no habían podido contener a los partos. Algunos de ellos empezaron a cambiar de bando.

Tierra extranjera en jeroglíficos

Incluso mientras él estaba tratando de reorganizar sus tropas le llegaron noticias peores de su esposa, una ambiciosa mujer llamada Fulvia. Ella le escribió que estaba en Atenas. Había sido obligada a huir porque ella y Lucio Antonio —el hermano de Marco Antonio— habían iniciado una fracasada revuelta contra Octavio. Marco Antonio salió apresuradamente hacia Atenas.

Por esa época, Cleopatra dio a luz mellizos. Los llamó Alejandro Helios y Cleopatra Selene en honor al sol y a la luna. Cleopatra básicamente desapareció de los registros históricos los casi cuatro años que ella y Marco Antonio estuvieron separados.

Mientras tanto, Octavio decidió que no estaba listo para una larga batalla contra Marco Antonio. Probablemente asumió que Marco Antonio no tenía nada que ver con la rebelión y no valía la pena arriesgarse a una guerra civil. En vez de eso, los dos líderes forjaron un acuerdo en el cual Octavio tendría Roma, Italia y las partes de las Galias que Marco Antonio había controlado. Marco Antonio mantendría las partes orientales del imperio y Marco Lépido obtendría África. Cuando Fulvia, la esposa de Marco Antonio, murió, Octavio le sugirió a Marco Antonio que se casara con su hermana, Octavia, para dar fe de su compromiso con el pacto que habían hecho. Octavia era tímida, inteligente, poco ambiciosa, bella, leal y comprensiva. En casi todo, era lo opuesto de Cleopatra.

Marco Antonio aceptó la sugerencia de Octavio y se casó con Octavia. Octavia dio a luz a una hija en el año 39 ANE y Marco Antonio volvió a concentrar su atención en la campaña contra los partos y tuvo éxito. Octavia se reunió con Marco Antonio durante parte de la campaña, pero regresó a Roma en el otoño del año 37 ANE. Marco Antonio se dirigió a Antioquía, una ciudad grande en el este que tenía muy buena ubicación para propósitos políticos y militares.

Para consternación de sus consejeros invitó a Cleopatra a que se encontrara con él allí. Parecía que todavía estaba enamorado de la reina de Egipto. Pero Marco Antonio tenía muchas razones para reunirse con Cleopatra. Egipto sería un poderoso aliado en futuras batallas. Además, Marco Antonio quería que Cleopatra tomara control de los nuevos territorios arrebatados a los partos.

Cleopatra terminó obteniendo Chipre y también territorios y ciudades a lo largo de la

Los reyes y las reinas egipcios podían controlar el tiempo. La cronología egipcia era continua, muy parecida a la nuestra, pero los reinos se fechaban desde el año en que el gobernante correspondiente había llegado al poder y, muchas veces, ellos empezaban otra vez a fechar sus reinos cuando algo bueno ocurría.

actual costa sirio-israelí y se apoderó de Calcis, un reino árabe entero. Con esto se las arregló para recuperar la mayor parte del imperio que sus ancestros, los Ptolomeo, habían tenido en el siglo III.

La inclinación de Marco Antonio por Cleopatra no significaba que descuidara los intereses de Roma. Al contrario, estaba reteniendo los territorios más importantes de la parte oriental del imperio romano. Egipto era uno de los aliados más cercanos en esa parte del mundo.

Cleopatra se reunió con Marco Antonio en Antioquía y ese invierno (37-38 ANE) fue su segunda luna de miel. No obstante, esta vez era una luna de miel de trabajo. Marco Antonio estaba ocupado creando un ejército de cien mil hombres para terminar de derrotar al Imperio Parto. Cleopatra regresó a Alejandría cuando el ejército salió de Siria.

Para octubre del 36 ANE, Marco Antonio iba en retirada después de haber fracasado en el cerco a una ciudad del antiguo Irán. Regresar a Siria fue difícil. Su ejército estaba hambriento y cansado y solo la fuerza de su personalidad lo mantenía marchando a través de las montañas.

Marco Antonio anima a sus tropas.

Perdió treinta y dos mil hombres. Los sobrevivientes estaban en muy mal estado. Necesitaba comida, ropa y dinero para evitar que los hombres se le fueran, de modo que le mandó un aviso a Cleopatra pidiéndole ayuda.

Cuando ella llegó a Siria, le traía ayuda y un niño que mostrarle, Ptolomeo Filadelfo. Una vez allí, Cleopatra se convirtió en una aliada muy valiosa para Marco Antonio. Estaba acostumbrada a hacer que las cosas funcionaran, así que era capaz de manejar sus tropas y las de Marco Antonio, permitiéndole a él enfocarse en sus planes militares.

Mientras tanto, Octavio estaba demostrando ser un gobernante muy exitoso tanto política como militarmente. Esto le preocupaba a Marco Antonio porque alteraba el equilibrio de poder.

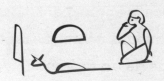

Padre en jeroglífico

Llegado a ese punto, Marco Antonio parece haber decidido que en última instancia su poder descansaba en la ayuda y el apoyo de Cleopatra. Solo con el respaldo de ella sería posible derrocar a Octavio.

Octavia iba con más soldados de camino a encontrarse con Marco Antonio. Pero los planes de este de derrocar a Octavio significaban que tenía que romper con su esposa, la hermana de Octavio. Le envió un mensaje a Octavia diciéndole que le mandara los soldados y que regresara a Roma. No quería verla. Octavio estaba encantado. Cuando la humillada esposa regresó a Roma, Marco Antonio tuvo que lidiar con la desaprobación de todo el mundo. Incluso algunos de sus más cercanos partidarios tuvieron palabras duras para él. La culpa recayó sobre Cleopatra, justo como Octavio deseaba. La opinión pública se estaba volviendo en contra de Marco Antonio. Mientras tanto, Marco Antonio estaba todavía en Egipto.

Ruinas en la isla de Samos

CAPÍTULO DIEZ

LA ÚLTIMA FARAONA DE EGIPTO

Marco Antonio se fue de Egipto en la primavera del 34 ANE para intentar de nuevo conquistar más territorio hacia el este. Cleopatra viajaba con él pero se dio la vuelta al alcanzar el río Éufrates. Él siguió para Armenia y ella regresó a Alejandría.

Marco Antonio tuvo éxito en su intento de invadir Armenia. Cuando regresó a Alejandría celebró el desfile de rutina al estilo romano exhibiendo al rey armenio atado con cadenas doradas e invitó a todos los ciudadanos de

Alejandría a un inmenso banquete. Le dio todo su tesoro a Cleopatra en lugar de a Roma, lo cual indignó a los romanos.

Días después, Marco Antonio empeoró las cosas al celebrar una enorme ceremonia pública en el gran Gimnasio, un estadio deportivo al aire libre, en el que convocó a los alejandrinos a unirse a él para reconocer a Cleopatra y a sus hijos por sus títulos oficiales, otorgándoles territorios en nombre de Roma. Mientras la multitud observaba, Marco Antonio proclamó a Cleopatra Reina de Reyes y a su hijo Cesarión Rey de Reyes. Los declaró los gobernantes de Egipto a los ojos de Roma. Entonces otorgó diferentes regiones del imperio a sus otros hijos.

La ceremonia, que vino a ser conocida como las Donaciones de Alejandría, realmente no cambió nada. La mayor parte de la tierra que Marco Antonio otorgó a la familia real de Egipto

Festín en jeroglíficos

ya estaba bajo su control. Pero no fue así como fue percibida en Roma. Octavio describió las Donaciones de Alejandría como una traición a Roma y a los intereses romanos y el senado se negó a reconocer a Cesarión como hijo de Julio César.

Después de esto, Octavio y Marco Antonio empezaron a atacarse verbalmente. Octavio también acusó a Cleopatra de querer gobernar Roma, de haber arruinado a Julio César y ahora a Marco Antonio. Ambos bandos empezaron a prepararse para una guerra civil abierta.

Listos para la guerra

En el año 33 ANE, Marco Antonio y Cleopatra fueron a la ciudad portuaria de Éfeso en la costa del mar Egeo. Allí Marco Antonio empezó a organizar su ejército. Cleopatra participaba en las reuniones, daba consejos y tomaba decisiones. A los partidarios de Marco Antonio les indignaba su participación y le suplicaban a él que la mandara de vuelta a Egipto. Le decían que perjudicaba su imagen y que Octavio podía usarla como una cuña entre él y el pueblo romano. Finalmente, Marco Antonio le ordenó que regresara, pero ella lo convenció de que reconsiderara su decisión.

Samos, Grecia

En la primavera del 32 ANE, Cleopatra y Marco Antonio estaban en Samos, una isla en el mar Egeo. Dividían su atención entre los preparativos para la guerra y los festines y fiestas en su honor. De ahí continuaron hacia Atenas y allí esperaron por el ejército.

A Octavio no le iba muy bien organizando un ejército. Tuvo que aumentar los impuestos para costear sus preparativos para la guerra y su popularidad sufrió horriblemente. Si Marco Antonio hubiera atacado en el 32 ANE probablemente hubiese destruido a Octavio. En lugar de eso se mantuvo a la defensiva y Octavio fue capaz de convencer a la opinión pública de que Marco Antonio era desleal a Roma.

En el otoño del 32 ANE, Marco Antonio había conseguido crear un ejército considerable y una cadena de suministros. Estaba listo para la guerra mientras que Octavio, en Roma, no. Así que Octavio se conformó con declararle la guerra solo a Cleopatra alegando que ella quería tomar control sobre todos los romanos.

Eso le hizo ganar el tiempo suficiente para poner a sus tropas en mejores condiciones. En marzo del 31 ANE fue capaz de romper la cadena de suministros de Marco Antonio y bloquear la bahía, aislando la flota de Cleopatra y Marco Antonio. Marco Antonio trató de entrar en batalla con Octavio, pero este se conformó con sitiarlo. Todo lo que tenía que hacer era esperar a que a Marco Antonio se le acabaran los suministros.

La pelea final

A medida que el verano se alargaba, la fuerza y la disposición de las tropas de Marco Antonio empezaban a desvanecerse. Alentado por Cleopatra decidió atacar a Octavio en el mar. Antes de la batalla había incendiado más de la mitad de sus propios barcos ya que no tenía hombres suficientes para tripularlos y no quería que cayeran en las manos de Octavio. Pero

Batalla de Octavio y Marco Antonio en el mar Jónico

Octavio tenía una fuerza superior con una flota de cuatrocientos barcos.

Una vez que la batalla empezó, quedó claro que Marco Antonio estaba en desventaja. Octavio pensó que el dinero y los objetos de valor de Cleopatra podían estar a bordo de los barcos de Marco Antonio. Pero esos tesoros estaban almacenados en un barco de la flota de Cleopatra. Cuando ella vio una pausa en medio de la pelea, sus barcos desplegaron las velas y huyeron hacia el sur, en medio de las embarcaciones que combatían.

Marco Antonio hizo girar su propio barco para seguir a Cleopatra. Parte de su flota lo siguió, pero muchas de sus embarcaciones se quedaron combatiendo y cinco mil soldados murieron. El ejército terrestre de Marco Antonio fue convencido de que se rindiera. Su líder los había abandonado en medio de la batalla naval.

El destino de Marco Antonio quedó sellado. Perder esas fuerzas no le dejaba más opciones.

Cuando Marco Antonio y Cleopatra regresaron a Alejandría resultó que sus aliados y sus tropas se habían ido o se habían unido a Octavio. Marco Antonio se hundió en una depresión profunda mientras Cleopatra respondió a la derrota con una avalancha de planes estrafalarios: tratar de reunir una nueva fuerza militar, escapar a España o a la India y asentarse allá. Finalmente, Marco Antonio se recuperó. Empezaron a celebrar fiestas como en los viejos tiempos. La nueva versión de los Inimitables se llamó "Aquellos que Morirán Juntos".

A Octavio le tomó casi un año volver a enfrentárseles debido a las tensiones que surgieron entre sus propios subordinados. A medida que sus tropas se iban acercando, Cleopatra empezó a guardar sus posesiones en la tumba que se había hecho construir. Finalmente se mudó a su tumba con Iras y Charmion, sus sirvientas más cercanas y confiables. No quería que la atraparan viva.

Marco Antonio reunió lo que quedaba de sus fuerzas para un último enfrentamiento con Octavio. Se las arregló para hacer retroceder a los romanos cuando trataron de entrar en Alejandría y pudo regresar victorioso junto a Cleopatra por última vez.

Cleopatra y Marco Antonio para siempre

El primero de agosto, Octavio y sus tropas llegaron a Alejandría de nuevo. Marco Antonio reunió los soldados que le quedaban pero sufrió una horrible derrota mientras sus hombres lo abandonaban. Cuando recibió falsa información de que Cleopatra había sido asesinada, se enterró su espada en el estómago. Entonces supo que ella no estaba muerta y fue llevado hasta su tumba, donde fue izado con sogas. La entrada de la tumba de Cleopatra ya había sido sellada. Marco Antonio murió en brazos de Cleopatra.

Marco Antonio es llevado a la tumba de Cleopatra.

Octavio temía que Cleopatra quemara su dinero, se suicidara o ambas cosas. Envió a un ayudante para que tratara de calmarla. Todo lo que ella quería era la promesa de que a sus hijos se les permitiera gobernar Egipto. El ayudante escaló la tumba y entró a través de una ventana, pero cuando ella se dio cuenta de que estaba dentro agarró un cuchillo y trató de usarlo contra sí misma.

Al principio Octavio no quería que Cleopatra se matara. Dejó que ella enterrara el cadáver de Marco Antonio. Después del funeral, ella se sintió terriblemente enferma y dejó de comer y dijo que quería morir de hambre. Octavio la amenazó con ejecutar a sus hijos si ella no se mantenía con vida. Finalmente la fue a visitar. Ella lo convenció de que quería vivir por el bien de sus hijos. Cuando supo que Octavio estaba planeando marcharse a Roma, decidió que era hora de actuar. Su querido Egipto no le pertenecía más. Ella no podría proteger a sus hijos de los romanos.

Un final honorable

Cleopatra pidió visitar la tumba de Marco Antonio y Octavio se lo permitió. Cleopatra y sus sirvientas de confianza, Iras y Charmion, fueron al mausoleo donde el cuerpo de Marco Antonio estaba tendido y Cleopatra hizo un brindis por él. Escribió una carta a Octavio, la selló con la insignia real y se la envió con un mensajero.

Él la abrió y encontró que en ella le pedía ser enterrada junto a Marco Antonio. Al instante, envió soldados al mausoleo, pero Cleopatra ya estaba muerta, tendida en un diván dorado con la vara y el mayal, los símbolos de poder de los faraones, en sus manos. Iras estaba muerta a sus pies y Charmion le ajustaba la corona de reina. Charmion le dijo a los guardias que el suicidio era lo adecuado para una descendiente de tantos reyes y entonces también cayó al piso, muerta.

Suicidarse de cara a una derrota era un gesto noble en el mundo antiguo. Era visto como una manera de tomar control del destino propio. Los

Cleopatra

118

Ptolomeo siempre habían tenido una inclinación por los venenos. Habría sido muy simple para las sirvientas de Cleopatra conseguir venenos, y ella aparentemente había hecho muchas pruebas con prisioneros de guerra buscando un veneno que matara sin causar dolor.

Al final, Octavio debió sentirse aliviado con la muerte de Cleopatra. Le celebró un funeral real cumpliendo sus deseos de ser enterrada junto a Marco Antonio. Cesarión fue ejecutado, ya que era una amenaza demasiado grande para el poder de Octavio. Cleopatra Selene fue casada con un príncipe de una potencia africana menor. Alejandro Helios y Ptolomeo Filadelfo le fueron enviados a Octavia para que ella los criara.

Después de conquistar Egipto, Octavio gobernó Roma con un poder absoluto. Venció a Cleopatra en la guerra, pero la historia de ella continúa fascinando al mundo entero miles de años después de su muerte.

10 COSAS DE CLEOPATRA QUE DEBES SABER

1 Muchos de los primeros relatos sobre Cleopatra fueron escritos por personas que no la querían.

2 Aunque Cleopatra era hermosa, sus mayores atractivos eran su encanto, su ingenio y su hermosa voz.

3 En los tiempos de Cleopatra, la cultura egipcia les permitía a las mujeres casarse con quien ellas eligieran y administrar sus propios negocios.

4 La familia de Cleopatra, los Ptolomeo, eran notorios por sus engaños y traiciones.

5 Era muy común en la antigüedad que los hermanos se casaran, casi siempre con el objetivo de consolidar el poder y la riqueza de la familia.

6 Para llegar hasta Julio César, Cleopatra se coló en el palacio real metida en un saco que cargó uno de sus sirvientes.

7 A Cleopatra y a Marco Antonio les encantaban las fiestas y han quedado como una de las parejas más amantes de la diversión de todos los tiempos.

8 La sociedad y las reglas de Alejandría eran más relajadas que las de Roma. Octavio utilizó esto para poner a los romanos en contra de Cleopatra y Marco Antonio.

9 En la antigüedad, el suicidio se veía como una opción honorable, de modo que el final de Cleopatra se vio como una adecuada conclusión a su vida de grandeza y desafíos.

10 Después de la muerte de Cleopatra, Egipto fue gobernado por los romanos, por lo que ella fue ¡la última faraona de Egipto!

10 COSAS MÁS QUE TE GUSTARÍA SABER

1 Las mujeres griegas, romanas y algunas alejandrinas (incluyendo a Cleopatra) lograban tener elaborados peinados con la ayuda de una aguja y un hilo. Sus sirvientas les hacían rizos y trenzas y luego se los cosían para ponerlos en el lugar adecuado.

2 Egipto fue la primera civilización que desarrolló la apicultura.

3 No existen pinturas ni imágenes de Cleopatra de la época en que ella vivió, con la excepción de su perfil en las monedas que se acuñaron durante su reinado.

4 Cleopatra estaba interesada en la medicina y los venenos. ¡Algunos dicen que ella descubrió la cura para la calvicie!

5 La película *Cleopatra*, de 1963, con Elizabeth Taylor, fue una de las películas más caras que se han filmado. En 2005, el costo de hacerla, ajustado por la inflación, dio como cifra unos 280 millones de dólares. Taylor fue la primera estrella de Hollywood a la que le pagaron un millón de dólares por un papel.

6 Dos de los mejores dramaturgos ingleses de todos los tiempos, George Bernard Shaw y William Shakespeare, han escrito obras basadas en la historia de Cleopatra.

7 Tal vez debido a la elevación del nivel del mar y a los terremotos, el palacio de Cleopatra en Alejandría se encuentra ahora bajo el mar.

8 El nombre completo de Cleopatra era Cleopatra VII Filopator.

9 Cleopatra tenía grandes cantidades de vajillas de oro y plata, lo cual era un motivo de orgullo para ella.

10 En los tiempos de Cleopatra, se tardaba dos meses y medio para ir de Alejandría a Roma.

GLOSARIO

Dorado: cubierto con una fina capa de oro

Exilio: enviar a alguien lejos de su propio país

Extravagante: que gasta mucho dinero o recursos

Hambruna: una falta extrema de comida en una zona geográfica

Imperio: un grupo de países o estados que tienen el mismo gobernante

Inimitable: que no puede ser imitado o copiado

Legión: una unidad del ejército romano que consistía de 3.000 a 6.000 soldados

Mercenario: un soldado que es contratado para servir en un ejército extranjero

Mito: una historia antigua que expresa las creencias o la historia de un grupo de personas

Refugio: protección o albergue para escapar de un peligro o de un problema

Sucesor: una persona que sigue a otra en una posición o secuencia

Traición: el crimen de ser desleal a tu propio país espiando para otro país o ayudando al enemigo durante una guerra

Vulnerable: es una condición o posición donde una persona o cosa puede ser dañada

BIBLIOGRAFÍA

Ancient World Leaders: Cleopatra, Ron Miller y Sommer Browning, Chelsea House, 2008.

Cleopatra: A Life, Stacy Schiff, Little, Brown and Company, 2010.

Cleopatra: Beyond the Myth, Michel Chauveau, traducido del francés por David Lorton, Cornell University Press, 2002.

Sterling Biographies: Cleopatra, Egypt's Last and Greatest Queen, Susan Blackaby, Sterling, 2009.

ÍNDICE